舌训练日志

舌系带修整的肌功能训练治疗法

Sabina Saccomanno

Anna Di Tullio

edi·ermes

这是给患者的两本日志中的其中一本。这两本日志与医生/治疗师手册及说明训练执行情况的视频共同构成了《颌面肌功能治疗学：牙殆·肌肉·身姿（原书第2版）》一书。医生/治疗师提供的这本日志可以让患者有计划地进行独立练习。患者可以在以下网站观看演示练习方法的视频。

获取日志视频内容的五个步骤

1. 医生/治疗师向患者提供一本日志副本及个人代码（优惠券）。
2. 连接网站 *https://mft.ediermes.com*。
3. 注册网站（仅限首次注册），设置您的用户名和密码（注册网站时只要求提供用于技术支持的电子邮件）。
4. 使用您的用户名和密码登录。
5. 点击“肌功能训练治疗日志和舌日志”图标，输入个人代码（优惠券）并按说明操作。

该代码只能使用一次。
以后访问该网页时，只需登录该网站，该网络区链接就会出现在该网站主页上。
在线访问意味着接受服务许可证。
访问权授予个人用户，不允许图书馆或机构使用访问许可证。
不允许共享密码和（或）代码，任何试图不当使用个人代码的方式都将导致密码和（或）代码失效，使其无法使用。
访问权限不可共享，并将在作品的新版本出版或代码版本到期时失效。更多详细信息将在接受许可协议后提供。使用代码必须接受使用条款。

硬件和软件要求：装有 *Windows*、*OS-X* 或 *Linux* 系统的个人电脑，最新的互联网浏览器，如 *IE* 浏览器（第9版以上）、火狐浏览器、*Chrome*、*Safari* 等，并能连接互联网。
技术服务台：发送邮件至 *support@ediermes.com*

对外联系 *–Edi.Ermes srl– Viale Enrico Forlanini, 65–20134 Milan (Italy)*
邮件：*ediermes@ediermes.com*

目 录

在潜入包含海洋生物和舌练习的海洋之前，

请在航海证上填写您的详细信息

航海证

名字：____________________

姓氏：____________________

出生日期：____________________

年龄：____________________

最喜欢的海洋生物：

____

照片

印章

现在我们准备开始吧！

◊ 这是你的个人治疗日志，它将伴随你完成整个舌练习课程。

◊ 你知道切牙乳头在哪里吗？它就在你的上切牙后面的腭嵴上，从现在开始，我们称它为“腭点”吧。

◊ 记得对着镜子做练习。

◊ 每个练习重复 15 次，每天 3 次，持续 1 个月。

练习 1

海豚高空跳跃

把舌抬起来，抵到腭点上，就像海豚一样，
在海浪中高高跃起。保持这个姿势 *10s*。

保持闭口 → 舌触及腭点 → 保持这个姿势 10s

重复 *10* 次

练习 2

海龟蛋

抬起舌尖，放在腭点的后面。将舌后部抬至上腭。在舌和上腭之间吸入空气，形成真空，这样舌就像吸盘一样。慢慢张口，拉长舌系带。保持这个姿势 5s，然后舌离开上腭，发出类似 “CHUCK” 的爆破声，就像小海龟破壳时发出的声音一样。

张口 → 舌尖放在腭点后面 → 吸入空气 → 慢慢张口，数到 5 → 舌离开上腭，发出“CHUCK”声

重复 15 次

练习 3

大虾散步

将舌尖放在腭点，舌尽可能向腭后滑动，就像虾在上腭上散步一样。再次将舌向前滑动，使舌尖重新回到腭点。

舌尖放在腭点上 → 舌尖像波浪一样滚动 → 舌尖向前卷起至腭点

重复 *15* 次

练习 4

鲨鱼饿了！

用舌尖触碰腭点，然后尽量张口，就像饥饿的鲨鱼一样。

张口 → 舌尖放在腭点上 → 尽可能张大口

重复 15 次

练习 5

章鱼和龙利鱼

伸出舌，先让它看起来像龙利鱼一样宽，
然后让它看起来像章鱼触角一样尖。

张口 → 伸舌，让它像龙利鱼一样宽 → 使舌像章鱼触角一样尖

◊ **尽量张大嘴巴**

重复 *15* 次

练习 6

河豚玩旋转木马

河豚想要玩耍！用舌在牙齿外侧做圆周运动。保持嘴巴是闭紧的。

保持闭口 → 把舌放在牙齿和上唇之间 → 舌做圆周运动

重复 15 次

练习 7

小小的牡蛎

将舌放在腭点上。保持这个姿势，像小牡蛎一样张口和闭口，不要用舌顶住牙齿。

张口 → 舌放在腭点上 → 像小牡蛎一样张口和闭口

◇ **可以在舌尖上放一个橡皮圈**

重复 *15* 次

练习 8

青蛙跳!

将舌尖向上移动，尽量靠近鼻，然后向下移动至颏部，再转向两侧至嘴角，先向一侧移动，然后向另一侧移动，就像试图触碰到耳朵一样。

青蛙上下跳跃

张口 → 伸长舌尽量靠近鼻 → 伸长舌尽量靠近颏部

青蛙左右跳跃

张口 → 向右伸长舌 → 向左伸长舌

重复 15 次

第 1 个月

第 1 周：海星				
	上午	下午	晚上	做得如何？
第 1 天 日期 _______				
第 2 天 日期 _______				
第 3 天 日期 _______				
第 4 天 日期 _______				
第 5 天 日期 _______				
第 6 天 日期 _______				
第 7 天 日期 _______				

第 2 周：螃蟹				
	上午	下午	晚上	做得如何？
第 1 天 日期 ________				
第 2 天 日期 ________				
第 3 天 日期 ________				
第 4 天 日期 ________				
第 5 天 日期 ________				
第 6 天 日期 ________				
第 7 天 日期 ________				

第 3 周：水母

	上午	下午	晚上	做得如何？
第 1 天 日期 ______				
第 2 天 日期 ______				
第 3 天 日期 ______				
第 4 天 日期 ______				
第 5 天 日期 ______				
第 6 天 日期 ______				
第 7 天 日期 ______				

第 4 周：海马

	上午	下午	晚上	做得如何？
第 1 天 日期 ______				
第 2 天 日期 ______				
第 3 天 日期 ______				
第 4 天 日期 ______				
第 5 天 日期 ______				
第 6 天 日期 ______				
第 7 天 日期 ______				

如果做了舌系带修整术，请在这里写下手术日期

____

◊ 口腔清洁非常重要：术后前 5 天，记得用舌专用混合物漱口，这种混合物是用像海水一样的淡盐水配制的！

◊ 手术后的练习更为重要，您可以训练舌以正确的方式活动。和海洋世界的朋友们一起做这些练习会更加有趣！

◊ 每个练习重复 15 次，每天 3 次，坚持 3 个月。

◊ 记得对着镜子做练习。

如果不打算进行舌系带修整术，

请继续训练。海洋生物正等着与您玩耍！

◊ 每个练习重复 15 次，每天 3 次，坚持 3 个月。

◊ 记得对着镜子做练习。

第 2 个月

第 5 周：小丑鱼

	上午	下午	晚上	做得如何？
第 1 天 日期 ________				
第 2 天 日期 ________				
第 3 天 日期 ________				
第 4 天 日期 ________				
第 5 天 日期 ________				
第 6 天 日期 ________				
第 7 天 日期 ________				

第 6 周：鲸鱼				
	上午	下午	晚上	做得如何？
第 1 天 日期 ______				
第 2 天 日期 ______				
第 3 天 日期 ______				
第 4 天 日期 ______				
第 5 天 日期 ______				
第 6 天 日期 ______				
第 7 天 日期 ______				

第 7 周：鱿鱼

	上午	下午	晚上	做得如何？
第 1 天 日期 ______				
第 2 天 日期 ______				
第 3 天 日期 ______				
第 4 天 日期 ______				
第 5 天 日期 ______				
第 6 天 日期 ______				
第 7 天 日期 ______				

第 8 周：鳗鱼

	上午	下午	晚上	做得如何？
第 1 天 日期 ________				
第 2 天 日期 ________				
第 3 天 日期 ________				
第 4 天 日期 ________				
第 5 天 日期 ________				
第 6 天 日期 ________				
第 7 天 日期 ________				

第 3 个月

第 9 周：剑鱼				
	上午	下午	晚上	做得如何？
第 1 天 日期 ________				
第 2 天 日期 ________				
第 3 天 日期 ________				
第 4 天 日期 ________				
第 5 天 日期 ________				
第 6 天 日期 ________				
第 7 天 日期 ________				

第 10 周：虎鲸

	上午	下午	晚上	做得如何？
第 1 天 日期 ________				
第 2 天 日期 ________				
第 3 天 日期 ________				
第 4 天 日期 ________				
第 5 天 日期 ________				
第 6 天 日期 ________				
第 7 天 日期 ________				

第 11 周：河蚌				
	上午	下午	晚上	做得如何？
第 1 天 日期 ________				
第 2 天 日期 ________				
第 3 天 日期 ________				
第 4 天 日期 ________				
第 5 天 日期 ________				
第 6 天 日期 ________				
第 7 天 日期 ________				

第 12 周：锤头鲨

	上午	下午	晚上	做得如何？
第 1 天 日期 ________				
第 2 天 日期 ________				
第 3 天 日期 ________				
第 4 天 日期 ________				
第 5 天 日期 ________				
第 6 天 日期 ________				
第 7 天 日期 ________				

第 4 个月

第 13 周：沙丁鱼				
	上午	下午	晚上	做得如何？
第 1 天 日期 ________				
第 2 天 日期 ________				
第 3 天 日期 ________				
第 4 天 日期 ________				
第 5 天 日期 ________				
第 6 天 日期 ________				
第 7 天 日期 ________				

第 14 周：黄貂鱼

	上午	下午	晚上	做得如何？
第 1 天 日期 ______				
第 2 天 日期 ______				
第 3 天 日期 ______				
第 4 天 日期 ______				
第 5 天 日期 ______				
第 6 天 日期 ______				
第 7 天 日期 ______				

第 15 周：金枪鱼

	上午	下午	晚上	做得如何？
第 1 天 日期 ________				
第 2 天 日期 ________				
第 3 天 日期 ________				
第 4 天 日期 ________				
第 5 天 日期 ________				
第 6 天 日期 ________				
第 7 天 日期 ________				

第 16 周：海胆

	上午	下午	晚上	做得如何？
第 1 天 日期 ________				
第 2 天 日期 ________				
第 3 天 日期 ________				
第 4 天 日期 ________				
第 5 天 日期 ________				
第 6 天 日期 ________				
第 7 天 日期 ________				

笔 记

肌功能训练治疗日志

呼吸 · 咀嚼 · 吞咽

Sabina Saccomanno

Anna Di Tullio

edi·ermes

这是给患者的两本日志中的其中一本。这两本日志与医生／治疗师手册及说明训练执行情况的视频共同构成了《颌面肌功能治疗学：牙殆·肌肉·身姿（原书第2版）》一书。医生／治疗师提供的这本日志可以让患者有计划地进行独立练习。患者可以在以下网站观看演示练习方法的视频。

获取日志视频内容的五个步骤

1. 医生／治疗师向患者提供一本日志副本及个人代码（优惠券）。
2. 连接网站 *https://mft.ediermes.com*。
3. 注册网站（仅限首次注册），设置您的用户名和密码（注册网站时只要求提供用于技术支持的电子邮件）。
4. 使用您的用户名和密码登录。
5. 点击"肌功能训练治疗日志和舌日志"图标，输入个人代码（优惠券）并按说明操作。

该代码只能使用一次。
以后访问该网页时，只需登录该网站，该网络区链接就会出现在该网站主页上。
在线访问意味着接受服务许可证。
访问权授予个人用户，不允许图书馆或机构使用访问许可证。
不允许共享密码和（或）代码，任何试图不当使用个人代码的方式都将导致密码和（或）代码失效，使其无法使用。
访问权限不可共享，并将在作品的新版本出版或代码版本到期时失效。更多详细信息将在接受许可协议后提供。使用代码必须接受使用条款。

硬件和软件要求：装有 *Windows*、*OS–X* 或 *Linux* 系统的个人电脑，最新的互联网浏览器，如 *IE* 浏览器（第 9 版以上）、火狐浏览器、*Chrome*、*Safari* 等，并能连接互联网。
技术服务台：发送邮件至 *support@ediermes.com*

对外联系 *–Edi.Ermes srl– Viale Enrico Forlanini, 65–20134 Milan (Italy)*
邮件：*ediermes@ediermes.com*

目 录

在和陆地生物学习肌功能训练之前，请填写您的身份信息

身份信息

国家

持证人签名

护照签发机关签名

护照　类型　密码　护照编码

名字　姓氏

国籍

出生日期　身份证号

性别

签发日期

失效日期　签发机关

P<WWW << <<<<<<<<<<<<<<<<

AA200012400553549846K3M38907326954743609783467347B3478

◊ 你知道切牙乳头在哪里吗？它就在你的上切牙后面的腭嵴上，从现在开始，我们称它为“腭点”吧。

◊ 记得对着镜子做练习。

现在我们准备开始吧！

和农场动物一起进行呼吸和姿势训练

练习 1：马喷鼻吸

在农场，有一只马烦躁起来。于是，它开始从它的大鼻孔里喷气。深吸一口气，尽量扩张鼻孔，然后缓慢呼气。

经鼻深吸气 → 尽量扩张鼻孔 → 缓慢呼气

练习 2: 小鸭子和跷跷板

在农场，有两只小鸭子想玩游戏。它们跳上了跷跷板，一只升起来，另一只就降下去，太好玩了！将示指放在前额，用同一只手的拇指堵住一个鼻孔。用没有被堵住的另一个鼻孔吸气，然后移动拇指堵住旁边的鼻孔，用没有被堵住的鼻孔呼气。

用拇指堵住一个鼻孔 → 用没有被堵住的另一个鼻孔吸气 → 堵住另一个鼻孔，经通畅的鼻孔呼气

练习 3: 猪的大肚子

这只猪吃得太多了，肚子很大！
经鼻吸气，然后像猪一样鼓起肚子。屏住呼吸，保持 3s，然后用鼻呼气。

经鼻吸气，鼓起腹部 → 屏住呼吸，保持 3s → 经鼻呼气

练习 4 和练习 5：奶牛的铃铛

在农场里，奶牛让它的铃铛响了好多次了！

首先来发出“叮－咚”的声音：用鼻吸气，屏住呼吸，数到 2。然后分 2 次将气体经鼻呼出。

接下来，发出“叮－咚－当”的声音：用鼻吸气，屏住呼吸，数到 3。然后分 3 次将气体经鼻呼出。

用鼻吸气，屏住呼吸数到 2 → 分 2 次从鼻腔呼气：叮－咚

用鼻吸气，屏住呼吸然后数到 3 → 分 3 次从鼻腔呼气：叮－咚－当

练习 6：母鸡孵蛋

农场里，这只母鸡进到鸡舍，在稻草窝上舒服地坐了下来，然后静止不动，开始孵蛋。将舌抬高，使舌背抵住上腭，而不要触碰牙齿。轻柔地闭合上下牙列和双唇。尽量持久保持这个姿势。

抬舌抵住上腭 → 舌不要触碰牙齿 → 轻轻咬合，闭上嘴唇

练习 7：健忘的驴

这只健忘的驴已经忘了腭点在哪里！快帮帮它吧！将拇指放在腭点上，移开拇指并将舌放在腭点上。

将拇指放在腭点上 → 移开拇指 → 将舌抵到腭点上

练习 8：小老鼠

在农场里，一只小老鼠迈着很小的步子在腭点上散步。将舌放在腭点上，然后向右、向前和向后在腭点上移动舌挠痒痒，保持颏部不动。

把舌放在腭点上 → 在腭点上挠痒痒 → 保持颏部不动

练习 9：鸟儿振翅

农场里，这只鸟儿在你闭着的嘴巴里扑腾着翅膀，然后回到它的巢穴里，也就是腭点！在你的嘴巴里，快速将舌从右侧向左侧移动；挡住舌并将其放回腭点上。

保持闭口 → 快速移动舌 → 将舌阻挡在腭点上

练习 10：山羊捉迷藏

农场里，山羊喜欢捉迷藏！将舌尖放在腭点上，做张–闭口动作，保持舌尖位置不动。

将舌尖放于腭点上 → 张口 → 闭口

练习 11：小鸡和谷物

小鸡啄米：小鸡用舌拾起米，将它放在腭点上，闭合双喙。在舌尖上放一根橡皮筋，然后将舌抵于腭点上。将上下牙列闭合，然后尽可能长时间保持这个姿势。

张口 → 在舌尖上放一根橡皮筋 → 将舌抵于腭点上，然后闭口

练习 12：兔妈妈

兔妈妈在农场里吃沙拉。它用双唇叼着一片叶子给它的小兔子吃，不能太紧以免将其夹断。放一张锡纸于双唇间，闭唇，不要太紧，不要过度用力。将舌尖抵于腭点上，闭合上下牙列，保持这一姿势。

将舌尖抵于腭点上，闭合上下牙列 → 在双唇之间放一片锡纸 → 轻轻闭唇

农场时间表

第 1 周	做得如何？	第 2 周	做得如何？
	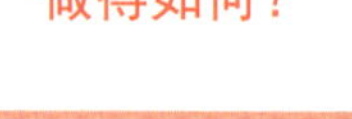		
	日期：＿＿＿＿		  日期：＿＿＿＿
	 日期：＿＿＿＿		 日期：＿＿＿＿
	 日期：＿＿＿＿		 日期：＿＿＿＿
	 日期：＿＿＿＿		 日期：＿＿＿＿
	 日期：＿＿＿＿		 日期：＿＿＿＿
	 日期：＿＿＿＿		 日期：＿＿＿＿
	 日期：＿＿＿＿		 日期：＿＿＿＿

农场时间表

第 3 周	做得如何？	第 4 周	做得如何？
	 日期：________		 日期：________
	 日期：________		 日期：________
	 日期：________		 日期：________
	 日期：________		 日期：________
	 日期：________		 日期：________
	 日期：________		 日期：________
	 日期：________		  日期：________

与森林动物一起训练舌肌

练习 1：刺猬挠痒

森林里，一只小刺猬开始用它的棘刺挠你的舌。用牙刷按摩舌尖、舌中部和舌缘。

张口 → 保持舌在口内 → 刷舌尖部、舌中部和舌侧缘

练习 2：贪吃的熊

有一只贪吃的熊住在森林里。每次它吃蜂蜜的时候，整张脸都变得非常脏。将蜂蜜或巧克力涂抹在嘴唇及嘴边缘。用舌反复从上到下、从右向左舔舐巧克力。

在唇上涂抹巧克力 → 从上到下舔舐 → 从右到左舔舐

练习 3：蛇舌

蛇快速伸出它那又细又长的舌！将舌伸出口外，使其变窄，使舌尖向剑一样尖。

张口 → 伸舌，使其变窄如同一条蛇 → 舌收回并闭口

练习 4：困倦的狼

狼犯困了，嘴巴开始哈欠，然后说“qa”！

假装打哈欠，然后说“qa”。

张口 → 假装打哈欠 → 然后说“qa”

练习 5：蜗牛的家

蜗牛想要清洁它的家，这房子是螺旋样的。让我们帮助它，将舌在嘴唇边上做画圆圈的动作。

张口 → 将舌放在上唇 → 围着嘴唇画圆圈

练习 6：松鼠的按摩

将舌放在腭点上，像松鼠柔软的尾巴一样，沿着腭部尽量向后滑动，按摩腭部。然后舌向前滑动，回到腭点。

张口，将舌放在腭点上 → 将舌尖向后卷曲，如同一个波浪 → 卷起舌尖向前滑动，回到腭点上

练习 7：孔雀开屏

孔雀的尾巴展开能形成一扇五彩斑斓的屏风！
用舌在牙的外表面画圆圈。

保持闭口 → 将舌放在牙和上唇之间 → 用舌画圆圈

练习 8：蜻蜓飞行

一只小蜻蜓在森林里无忧无虑地飞翔。
舌抵在上腭前部震动，尽可能快地发出字母“T”的音。

发字母“T”的音 → 尽可能快地发“T”的音 → 让蜻蜓飞得更高！

练习 9：鼹鼠挖洞

在森林里，鼹鼠在挖一个很深的洞。左右交替在脸颊上用舌推挤。

保持闭口 → 用舌推挤左侧脸颊 → 用舌推挤右侧脸颊

舌中部训练

练习 10：海狸的吞咽 1

海狸练习在舌尖放置一个小橡皮筋进行吞咽。轻轻抬起舌尖到腭点上。注意不要将舌顶到牙齿上。依旧保持张口，用舌尖在腭点上施加强大的压力，深吸气和深呼气。慢慢闭合牙弓，双唇张开，保持舌尖紧贴腭点，进行吸气、吞咽。每一次吞咽后张口，检查橡皮筋是否还在原位。

在舌尖放置一个橡皮筋 → 抬起舌尖到腭点上，闭合上下牙列 → 保持双唇分开；呼吸、吞咽；检查橡皮筋是否在原位

练习 11：陆龟蛋

将舌尖抬起并放在腭皱襞上，确保舌背紧贴腭部，吸气以增加黏附力；尽量降低下颌并在舌系带上施加压力，将舌从上腭弹出，发出快照声（类似于"*CHUCK*"的声音）。

张口，将舌放在腭点上，吸气 → 缓慢张口并数到 5 → 将舌从上腭弹出"CHUCK"！

练习 12：海狸的吞咽 2

海狸用 *2* 个橡皮筋进行吞咽练习。将第 *1* 个橡皮筋放在舌背，第 *2* 个橡皮筋放在舌尖。抬起舌尖，按住前方的橡皮筋，牢牢地抵于腭点上。闭合上下牙列，保持双唇与牙龈分离，然后用力吞咽。检查橡皮筋是否还在原位。

将第 1 个橡皮筋放在舌背上 → 第 2 个橡皮筋放在舌尖，抬起舌尖抵于腭点上 → 闭合上下牙列，双唇分离并吞咽，最后检查！

舌后部练习

练习 13：狐狸与浆果

狐狸在穿过栅栏时，看见了一些美味的红色浆果。为了得到这些浆果，它把头穿过栅栏，但是它的头卡住了！喝一小口水然后咽下去，同时轻轻咬住舌尖。在镜前做这个动作。确保吞咽过程中脸部肌肉不动，头颈也不前倾。

张口 → 伸舌来摘浆果 → 舌尖被卡在牙齿间啦！

练习 14：啄木鸟与树皮

啄木鸟在森林里啄树皮很开心。啄木鸟精力充沛，每天啄三次树皮：*KIK! KIK! KIK!* 啄木鸟只有在正确吞咽口水的时候能刺穿树皮。保持张口，大声地说“*KIK*” *3～4* 次。保持舌在“*KIK*”发音的位置，快速用力吞咽。

张口 → 说 KIK! KIK! KIK！ → 不要移动舌，快速吞咽

森林时间表

第 1 周	做得如何？	第 2 周	做得如何？
	日期：________		日期：________
	日期：________		日期：________
	日期：________		日期：________
	日期：________		日期：________
	日期：________		日期：________
	日期：________		日期：________
	    日期：________		  日期：________

森林时间表

第 3 周	做得如何？	第 4 周	做得如何？
	 日期：________		 日期：________
	 日期：________		 日期：________
	 日期：________		 日期：________
	 日期：________		 日期：________
	 日期：________		 日期：________
	 日期：________		 日期：________
	 日期：________		 日期：________

与热带雨林动物一起训练嘴唇

练习 1：巨嘴鸟的芒果

巨嘴鸟在森林的一棵树上得到了一个美味的芒果。然后，它用喙紧紧地叼住芒果，以免在飞行时掉落。当巨嘴鸟用喙咬住芒果时，它会用力抵住嘴唇。

保持闭口 → 用力闭唇 → 坚持几秒钟

练习 2：蜂鸟的喙

蜂鸟有一个又长又细的喙。仅用唇的力量夹住压舌板。如果有必要，增加额外的重量（如衣夹）。

拿一个压舌板 → 放在唇间并保持住 → 在压舌板上增加额外的重量！

练习 3：平衡的火烈鸟

火烈鸟是真正的杂技演员，它总是单腿站立！试着在上唇和鼻之间夹住一支铅笔。只用嘴唇的力量支撑铅笔，不要让它掉落。

拿一支铅笔 → 放在上唇和鼻之间 → 保持住，尽量不要让它离开嘴唇

练习 4：小袋鼠，快出来！

在森林里，袋鼠宝宝在妈妈的育儿袋里休息。保持牙齿紧闭，在牙齿和唇之间放一个直径约 2.5cm 的光滑纽扣，系在一根长约 20cm 的线绳上。拉线并且用唇抵抗，把纽扣从唇间拉出，就像小袋鼠从妈妈的育儿袋里跳出一样！

保持牙齿闭合，在牙齿和唇中间放一个纽扣 → 闭紧嘴唇然后拉线 → 像袋鼠从母袋中跳出一样把纽扣从唇间取出

练习 5：凶猛的豹

发出响亮的飞吻声，越响越好，然后像凶猛的豹一样把嘴张到最大。

送上一个吻 → 发出响亮的“啪”一声 → 然后像豹一样张大口！

练习 6：深情的考拉

考拉是一种非常深情的动物！送上一个吻，然后微笑。嘟起嘴唇，好像要亲吻一样，然后像大笑一样伸展嘴唇。两者交替进行。

像亲吻一样嘟嘴 → 不要让唇发出“啪”的声音 → 绽放笑容！

练习 7：做鬼脸的猴子

森林里的猴子喜欢对森林里的所有居民做鬼脸。把手指或用两个压舌板插入口角处，适度地向外牵拉，就像要咬几口东西一样。收缩嘴唇肌肉以抵抗拉伸。

将手指插入口角处 → 向外施加轻柔的牵引力 → 尝试保持嘴唇闭合！

练习 8：喋喋不休的鹦鹉

鹦鹉整日喜欢聊天。当它在睡觉的时候，有人耍了个把戏：用胶带把鹦鹉的嘴封住了！鹦鹉一醒来，开始想办法去除胶带，就又能说话了！当你想要闭住嘴唇的时候，把一块胶带贴在你的嘴唇上。只使用嘴唇的力量，去除胶带，就像鹦鹉一样。

保持闭口 → 在唇上贴一块胶带 → 仅使用嘴唇的力量去除胶带

练习 9：变色龙的微笑

变色龙只会一半脸笑！像它一样笑，每次只用一侧脸笑。

保持闭口 → 仅用右侧脸笑 → 仅用左侧脸笑

练习 10：熊猫的负重训练

熊猫有点胖。它决定报名参加负重训练。把舌尖放在唇间。仅用唇的力量，把压舌板向上移动到鼻部，向下移动到颏部。你可以在舌体上增加更多的重量。

用唇夹住压舌板 → 将它朝鼻的方向移动 → 将它朝颏部方向移动

热带雨林时间表

第 1 周	做得如何？	第 2 周	做得如何？
	日期：________		日期：________
	日期：________		日期：________
	日期：________		日期：________
	日期：________		日期：________
	日期：________		日期：________
	日期：________		日期：________
	日期：________		日期：________

热带雨林时间表

第 3 周	做得如何？	第 4 周	做得如何？
	日期：______		日期：______
	日期：______		日期：______
	日期：______		日期：______
	日期：______		日期：______
	日期：______		日期：______
	日期：______		日期：______
	日期：______		日期：______

与热带草原动物一起训练脸颊和延长上唇

练习 1：数学家鳄鱼

大草原上的鳄鱼对数字充满热情。鳄鱼闭合它强壮的牙齿并数到 10。慢慢地开闭口 2～3 次，然后闭上嘴巴，将两根手指抵住咬肌。微笑时咬紧牙齿。感受咬肌慢慢变强。保持这个姿势，数到 10。

缓慢地开闭口 → 咬紧牙齿并触摸脸颊 → 大声地数到 10

练习 2：小斑马

斑马生活在大草原上。斑马叫唤它的两只小斑马，即*TEE*和*CHOO*。露出牙齿，咬紧牙关，发“*TEE*”和“*CHOO*”的音。快速地交替发这两个音。

露出牙齿
咬紧牙关 → 先发“TEE”，再发“CHOO” → 交替发“TEE”和“CHOO”

练习 3：大象的獠牙

大草原象有两根又大又白的獠牙：把两根手指放在切牙上，就好像它们是大象的獠牙一样。施加向下的力。试着通过克服手指施加的压力来闭口。

张口 → 将两根手指放在下切牙上 → 尝试闭口

练习 4：翻滚的犰狳

犰狳在大草原上非常顽皮。它像球一样卷起来，开始滚动！闭上嘴唇，将示指放在鼻底下方，用手指向下按摩上唇。

保持闭口 → 将示指放在鼻下 → 像犰狳一样滚动示指！

练习 5：河马的脸颊

河马在大草原的池塘里游泳，鼓起它的脸颊。屏住气，鼓起脸颊。

吸气 → 像河马一样鼓起脸颊 → 保持用鼻呼吸

练习 6：强壮的犀牛

犀牛是一种非常强壮的动物！请保持张口，把你的手放在颏部下面，像拳头一样握紧（就好像它是一头强有力的犀牛），并施加压力。在左右两侧做相同动作。别让犀牛赢了！

保持张口 → 将拳头放在颏部下面 → 分别在左右两侧用拳头抵住脸颊

练习 7：豪猪的刺

豪猪有一身长长的硬刺：用它们来按摩！用牙刷按摩下唇，然后延伸到颏部。

拿一把牙刷 → 按摩下唇 → 按摩颏部

热带草原时间表

第 1 周	做得如何？	第 2 周	做得如何？
	日期：________		日期：________
	日期：________		日期：________
	日期：________		日期：________
	日期：________		日期：________
	日期：________		日期：________
	日期：________		日期：________
	日期：________		日期：________

热带草原时间表

第 3 周	做得如何？	第 4 周	做得如何？
	 日期：________		 日期：________
	 日期：________		 日期：________
	 日期：________		 日期：________
	 日期：________		 日期：________
	 日期：________		 日期：________
	 日期：________		 日期：________
	 日期：________		 日期：________

与北极动物在宴会上一起训练咀嚼和吞咽

咀　嚼

练习 1：海象咀嚼

海象拥有非常强壮的牙齿和两根大象牙，用来咀嚼最坚硬的食物！先用右侧磨牙再用左侧磨牙咀嚼固体和黏稠食物，保持嘴唇紧闭。

选择固体和黏稠的食物 → 用左右磨牙咀嚼 → 保持嘴唇紧闭

软腭的升降

练习 2：雪鸮的音乐会

雪鸮是一个真正的艺术家。它为宴会准备了一场表演：用它的诗句招待所有的客人！保持开口，漱口，然后用力发出 /k/、/g/ 和各个元音（ah, eh, ee, oh, oo）。

保持开口 → 漱口 → 用力发出 /k/、/g/ 和各个元音

吞 咽

练习 3：已经开吃的白狐

白狐已经吃了很多零食，所以，当它抵达宴会时，它什么也不想吃。让您的舌停留在腭点上（舌静息位），同时吞咽唾液。

保持闭口 → 把舌放在腭点上 → 吞咽唾液

练习 4：口渴的海豹

海豹渴了！所以，它一到宴会，就开始小口地喝很多水。用一根橡胶管连接一个装满水的注射器，游离端位于用舌尖抵住的腭点上，牙齿闭合而嘴唇张开。通过缓慢注水到口腔内，患者被迫吞咽。该练习每天应重复 12 次。

用舌尖把橡胶管抵在腭点上 → 牙齿咬紧嘴唇分开 → 吞咽水

练习 5：新生企鹅

这只企鹅宝宝刚出生，还不知道如何咀嚼，所以在宴会上，它只能吃软的食物。正确吞咽半固体食物，如酸奶、布丁等。

选择半固体食物 → 保持舌在腭点上 → 正确吞咽

练习 6：饥饿的北极熊

北极熊真是个大馋鬼！在宴会上，它选择固体的食物：它用强有力的牙齿咀嚼，随即用舌抵在腭点上进行吞咽。正确咀嚼和吞咽固体食物，如饼干、薄脆饼干等。

选择固体食物 → 保持舌在腭点上 → 正确吞咽

练习 7：雪鹿分心了

抵达宴会现场，雪鹿什么都喝了一点，吃了一点，但总是分心。阅读或看电视时，小口小口地喝水或吃东西。第一次吞咽动作必须是有意识的，但之后就无须这样做了，因为吞咽动作必须是自然无意识地进行。

看电视或读书时 → 喝水和吃东西 → 吞咽

北极时间表

第 1 周	做得如何？	第 2 周	做得如何？
	日期：______		日期：______
	日期：______		日期：______
	日期：______		日期：______
	日期：______		日期：______
	日期：______		日期：______
	日期：______		日期：______
	  日期：______		  日期：______

北极时间表

第 3 周	做得如何？	第 4 周	做得如何？
	日期：______		日期：______
	日期：______		日期：______
	日期：______		日期：______
	日期：______		日期：______
	日期：______		日期：______
	日期：______		日期：______
	日期：______		日期：______

笔 记